FOLIO CADET

*Pour Camille et Aurélien*

Ce texte a paru pour la première fois à l'École des Loisirs sous le titre :
*La visite de l'écrivain*

© Éditions Gallimard Jeunesse, 2002, pour le texte
© Éditions Gallimard Jeunesse, 2019, pour les illustrations

# Jean-Philippe Arrou-Vignod

# L'invité des CE2

illustré par Pronto

GALLIMARD JEUNESSE

– Il ne viendra pas, a dit Maxime.

– Il a promis, a dit Lucas.

Moi, j'ai pensé que s'il ne venait pas, j'avais mis mes chaussures pour rien.

– Pas question de porter tes vieilles baskets, avait décrété mon père. Ce n'est pas tous les jours qu'on reçoit un écrivain.

On avait déjà eu d'autres visites en classe, et chaque fois on avait été déçus.

Nous, on aurait aimé rencontrer des astronautes, des présentateurs de jeux télévisés ou un pilote de course, des gens qui ont un métier intéressant. Mais la maîtresse ne doit pas avoir la télé. Elle n'aime que les métiers saugrenus. On a eu comme ça un souffleur de verre, un fabricant d'accordéons et aussi le dentiste

du quartier, qui nous a apporté des échantillons de dentifrice et a dit qu'on aurait les dents noires si on ne les lavait pas douze fois par jour.

Aussi, quand la maîtresse a dit: «J'ai une merveilleuse surprise pour vous», on a cru que c'était Zidane qui allait venir en classe.

Elle a dit d'un air pincé qu'on ne comprenait rien décidément, que c'était donner des perles à des cochons que d'inviter un écrivain.

– C'est vrai, a dit Lucas, j'aurais préféré un footballeur.

Moi, j'étais assez d'accord. Au moins, j'aurais pu garder mes baskets.

En classe, on est tous nuls en orthographe, sauf Maxime, et c'était le seul content de rencontrer un écrivain. Est-ce qu'il allait parler en vers comme dans les récitations?

– Je compte sur vous, a dit la maîtresse. Pas de questions idiotes ni de chahut comme la dernière fois…

La dernière fois, c'était un peintre qui était venu. La maîtresse était devenue cramoisie quand Lucas lui avait demandé pourquoi il peignait toujours des couchers de soleil et des bouquets de fleurs

au lieu de faire, par exemple, des hélicop-
tères de combat ou des motos de course.

Pour l'écrivain, la maîtresse a voulu
qu'on prépare des questions.

– Je vous préviens, elle a dit. Deux cents
lignes au premier qui lui demande com-
bien il gagne ou si sa grand-mère fait du
vélo… C'est compris, monsieur Henri ?

Henri, c'est Riton, le comique de la
classe. Il a toujours du poil à gratter dans
les poches et des araignées dégoûtantes
qu'il met dans le cou des filles.

– Vous allez voir, il nous a dit. J'ai une surprise pour l'écrivain.

On n'a pas pu en savoir plus parce que la cloche sonnait.

Mais ce qui était sûr, c'est qu'on allait bien rigoler.

À vrai dire, on était assez impatients. Depuis qu'on avait reçu sa lettre, on se demandait tous quelle tête il pouvait bien avoir. Les écrivains, ce n'est pas comme les chanteurs. Ils n'ont pas leur photo sur la couverture, alors on peut seulement imaginer.

En rédaction, la maîtresse nous avait demandé de faire son portrait. Certains disaient qu'il avait les cheveux blancs, qu'il habitait la campagne et qu'il fumait toujours la pipe. D'autres, qu'il n'avait pas d'enfants, qu'il avait juste un chien et des bouquins qui montaient jusqu'au plafond. Que c'était un monsieur ronchon,

un rêveur qui oubliait partout ses clefs, qu'il ne faisait pas de sport et qu'il n'avait pas la télé…

Moi, je le voyais plutôt comme les personnages de son histoire : une drôle de tête carrée comme celle d'un robot,

avec des manettes de commande à la place des yeux et des ressorts qui dépassent.

Quand il est arrivé pourtant, on a vite compris qu'on s'était tous trompés.

– Les enfants, a dit le directeur, je vous présente M. Beloiseau.

Le directeur avait mis une cravate, comme le jour des bulletins, et on s'est levés tous ensemble en se retenant de rire.

Derrière lui, il y avait un monsieur minuscule, avec de grandes oreilles très rouges et les cheveux hérissés sur le crâne. Est-ce que c'était notre écrivain ?

Il ne ressemblait pas du tout à ce qu'on avait imaginé : on l'aurait plutôt vu dans un film comique, avec son écharpe autour du cou, sa veste trop grande et son pantalon trop large qui faisait des poches aux genoux.

— Visez la taupe ! a soufflé Riton, et on a tous eu du mal à ne pas éclater de rire.

— C'est une classe de CE 2, a expliqué le directeur. Ils ont lu votre dernier livre et brûlent de vous poser des questions.

Puis il est allé s'asseoir au fond de la classe, laissant l'écrivain cligner des yeux et se tordre les doigts comme si on l'avait abandonné tout nu dans une cage aux lions.

— Bonjour à tous, il a dit en regardant autour de lui. Je n'ai plus vu de CE 2 depuis mes années d'école. Est-ce que vous savez vraiment faire des divisions à retenue ?

Il s'est gratté la tête, contemplant d'un air ahuri l'opération qui était au tableau. Puis il a pris une craie, a compté sur ses doigts deux fois de suite, s'est gratté à nouveau la tête avant de reposer la craie dans la rainure.

– Tant pis ! il a dit. Je ne comprendrai jamais rien aux mathématiques. Mais je ne suis pas là pour ça… Qui veut poser la première question ?

Il y a eu un silence de mort, puis on a entendu une sorte de MEUHHH ! qui s'élevait du fond de la classe. C'était la surprise de Riton…

– Qu'est-ce que c'est ? a dit le directeur qui commençait à papilloter des yeux.

– Henri ! À la porte, immédiatement ! a hurlé la maîtresse.

C'est M. Beloiseau qui a sauvé la situation.

– Un instant, il a dit. Ai-je bien entendu ? Ne serait-ce pas… Approche, mon garçon, approche…

Riton a dû se lever, écarlate, sa surprise à la main.

– Formidable ! a dit M. Beloiseau. Une boîte à camembert musicale !

Il l'a retournée à son tour, produisant un nouveau meuglement de vache.

– Merci, mon garçon, a continué M. Beloiseau. Tu ne pouvais me faire plus plaisir…

— Vous comprenez, a-t-il expliqué à la maîtresse, mon premier livre s'appelle *La boîte à camembert qui tue.* Ce garçon s'en est souvenu ! Foi d'animal, vous avez là un fier lecteur !

La maîtresse ne savait pas quoi dire. Quant à Riton, il est retourné s'asseoir à sa place, les joues en feu, et on ne l'a plus entendu durant toute l'heure.

— Une autre question ? a demandé M. Beloiseau.

Cette fois, c'est Élise qui s'est jetée à l'eau.

— Est-ce que vous signez vos livres de votre vrai nom ?

Il a souri.

— Non. Beloiseau est un nom de plume. Amusant, non ? En vérité, je m'appelle Legenou. Évariste Legenou. Beloiseau fait plus écrivain, vous ne trouvez pas ?

Nous, on ne trouvait pas, mais on n'a pas osé le lui dire.

— Et comment êtes-vous devenu écrivain ? a demandé Maxime. Est-ce qu'il faut faire de longues études ?

— Heureusement non ! s'est écrié M. Beloiseau. Je vais vous faire un aveu : à votre âge, je n'aimais pas du tout l'école. À part le vocabulaire, bien sûr, et la rédaction. J'adorais lire aussi, comme vous.

— Est-ce que vous aviez de bonnes notes ? a demandé Lucas.

Lucas est le plus nul de la classe. M. Beloiseau a dû le sentir car il a dit :

— Oh ! non… Je crois que la maîtresse n'appréciait pas beaucoup mon imagination. Je me souviens d'une rédaction dont j'étais très fier : elle racontait l'histoire d'un spaghetti au ketchup qui s'évadait de son assiette. Toute la famille se mettait à quatre pattes pour le poursuivre sous les meubles. J'ai dû avoir deux sur vingt. Peut-être que mon institutrice n'aimait pas la bolognaise… Mais tu vois, il a ajouté, ça ne m'a pas empêché de devenir écrivain.

Tout le monde a ri, sauf la maîtresse.

– Et vous avez écrit beaucoup de livres ? j'ai demandé.

– Une dizaine en tout.

Nous, on n'avait lu que le dernier. Ça s'appelait *Frankfurt, la saucisse de l'espace.* C'était l'histoire d'un savant transformé en saucisse par une erreur de manipulation de déchets radioactifs, et qui traversait l'espace dans une fusée interplanétaire à la poursuite des Zglorgs. Dans l'hyperespace, son vaisseau spatial entrait en collision avec une nébuleuse géante et il manquait d'être avalé par un monstre gélatineux, maître

de la galaxie, qui passait ses journées à manger de la choucroute sous vide.

— Une question que se sont posée les enfants, est intervenue la maîtresse : est-ce que vous vous mettez dans la peau de vos personnages ?

— Bien sûr, a dit M. Beloiseau. Tous les écrivains le font.

Il était debout sur l'estrade, faisant de grands gestes et, durant un instant, on aurait dit que M. Beloiseau s'était transformé en Zglorg : ses vieilles chaussures montantes ressemblaient à des semelles antigravité, ses cheveux se dressaient sur sa tête comme s'il venait de traverser une tempête de météorites.

– Vous vous êtes mis aussi dans la peau de la saucisse ? a demandé Sabrina, incrédule.

– C'est ce qui a été le plus difficile dans ce livre, il a dit, reprenant son apparence ordinaire. Que peut ressentir une saucisse perdue à des années-lumière de toute terre habitée ?

– Vous devez avoir beaucoup d'imagination, a dit Lisa.

– Oh, pour les Zglorgs, c'était plus simple. J'ai pensé à mon neveu Lucien. Quelquefois, j'aimerais avoir un fusil à

protons pour le désintégrer… Vous vous souvenez de la scène où le chat du savant se retrouve enfermé dans un accélérateur de particules ? Eh bien, c'est ce qui est arrivé au mien quand ce petit voyou de Lucien l'a mis dans la machine à laver de ma sœur. Vous voyez, je n'ai rien inventé.

Il allait continuer quand il s'est arrêté net.

— Mais que vois-je là-bas ? s'est-il exclamé.

Le directeur, qui somnolait à la table du fond, s'est éveillé en sursaut. M. Beloiseau a fouillé dans ses poches, en a tiré un bouchon, une pelote de ficelle et un vieux mouchoir d'où pleuvait du tabac. À la fin, il a sorti des lunettes aux branches toutes tordues, les a chaussées et a rempoché le reste avant de se diriger en clopinant vers les plantations de la fenêtre.

– Qu'est-ce que vous cultivez donc ici ? a-t-il demandé en se penchant sur un bac pour en étudier soigneusement le contenu.

– Ce sont des lentilles, a expliqué la maîtresse. Un peu de coton et d'eau, et ça pousse très facilement.

– Tss tss tss ! a fait M. Beloiseau en hochant la tête. Pardon de vous contredire, chère madame, mais si je ne m'abuse, il s'agit là plutôt d'une espèce rarissime de Protozoère Stellaris.

Tout le monde s'est approché, fourrant avec lui le nez dans les bacs.

– Oui, oui, c'est bien ça… Protozoère Stellaris… Excessivement rare… On n'en trouve à ma connaissance que dans les régions situées au-delà de l'anneau de Saturne. Saviez-vous, les enfants, que la dernière personne à en avoir ramené un plant de l'espace est le fameux pro-

fesseur Commodore, de la faculté de Limoges ? À l'état adulte, cette plante donne une variété de bananes violettes, délicieuses au goût, bien qu'un peu salées pour nos habitudes de Terriens. Je n'en avais encore jamais vu cultivée en classe.

On ouvrait tous des yeux ronds, plutôt fiers de voir un écrivain admirer notre classe. Quand on s'est rassis, ça a été un déluge de questions. Est-ce que M. Beloiseau aimait les animaux ? Est-ce qu'il était marié ? Est-ce qu'il avait des enfants ?

On aurait voulu tout savoir sur lui.

– Je suis un vieux garçon, il a dit. J'habite seul avec mon chat. Les écrivains adorent les chats parce que ce sont des animaux silencieux. Le mien s'appelle Cornélius Mitsurato et c'est un chat savant : le seul chat du monde, je crois, qui sait faire le poirier et qui mange des cornichons.

– Cornélius Mitsurato ? j'ai répété. Drôle de nom pour un chat...

— C'est un pseudonyme, il a dit.

— Et vous n'avez jamais écrit de livres sur les animaux ? a demandé Élise.

— Mon chat est très jaloux. Il ne supporte pas que je parle d'une autre bête que lui. Depuis que j'ai commencé mon nouveau livre, il ne m'adresse plus la parole.

— Mais les chats ne parlent pas ! a rigolé Lucas.

— Le mien si, a dit M. Beloiseau avec conviction. C'est un siamois : les Orientaux ont toujours eu beaucoup plus de facilité que nous pour les langues. Mais peut-être avez-vous raison. Peut-être que je me trompe, que Cornélius ne parle pas, qu'il fait seulement semblant pour se rendre intéressant… Il faudra que je le lui demande.

Il avait l'air si déçu pour son chat qu'on s'est dépêchés de changer de sujet.

— Avec quoi écrivez-vous ? a demandé Jérôme.

— Avec un stylo, un bête stylo tout simple. D'ailleurs, je dois l'avoir sur moi. Attendez une seconde…

Il a sorti de sa poche un énorme stylo-plume au capuchon tout cabossé qu'il a fait passer de main en main avant d'expliquer :

— Sur mon bureau, j'ai une petite bouteille. De loin, on dirait un encrier, mais c'est une bouteille à mots. Chaque soir, j'en remplis le réservoir de mon stylo. Je n'ai plus ensuite qu'à promener la plume sur le papier, et les mots viennent s'y ranger tout seuls, comme de bons petits soldats.

— Vous ne faites jamais de brouillons ? a demandé Maxime.

— Bien sûr que si ! Certains mots ont mauvais caractère. Ils se font tirer l'oreille

pour sortir. Il faut les poursuivre dans le
dictionnaire, ou bien on les a sur le bout
de la langue, comme un petit crabe qui
vous pince l'orteil sans qu'on puisse lui
faire lâcher prise. D'autres fois, ils font

surgir exprès plein de fautes d'orthographe pour qu'on ne les reconnaisse
pas. Ça ne vous arrive jamais, à vous,
quand vous faites une rédaction ?

– Mais vous êtes écrivain, c'est votre
métier, a dit Lucas.

– Justement, a dit M. Beloiseau. Quelquefois les mots se vengent, comme les lions avec le dompteur. Ils refusent de sauter à travers le cerceau, ils crachent et montrent les dents. Un jour, j'ai essayé d'écrire avec un ordinateur. J'avais l'impression de piloter une soucoupe volante. Les mots venaient à toute vitesse sur l'écran comme une pluie de météorites. Et puis, quand j'ai rallumé la machine le lendemain, pfuitt! plus rien... L'écran était vide. Les mots

s'étaient enfuis. Ils avaient profité de ma distraction pour reprendre leur liberté.

— Un de ces jours, il a ajouté, il faudra que j'envoie un de mes personnages à leur recherche. Ils doivent se balader quelque part dans l'espace. Une bonne fusée, un filet à papillons, et je les obligerai bien à revenir à la maison !

— Et vous écrivez un nouveau livre en ce moment ? a demandé Alexandre.

C'était la dernière question qu'on avait préparée. Tout le monde a paru surpris : le temps avait passé si vite.

— Je suis bloqué, a dit M. Beloiseau. J'ai commencé une histoire qui s'appelle *Évariste et les ouistitis.* Depuis un mois, Évariste est pendu par un pied à un baobab géant. Impossible de trouver comment l'en faire descendre.

— On ne pourra jamais lire votre histoire, alors ? a dit Maxime avec regret.

– Désolé, les enfants, a dit l'écrivain devant notre air navré. Je suis en panne. J'ai beau me mettre à mon bureau tous les soirs, je ne trouve pas la suite. Rien, pas un mot… Je sèche. Vous pouvez imaginer l'œil ironique de Cornélius Mitsurato, couché sur la page blanche et agitant sa queue !

– Que se passera-t-il si vous n'arrivez plus à écrire ? s'est inquiétée Élise. Vous ne serez plus écrivain ?

C'était bien notre veine : pour une fois qu'un écrivain venait en classe, voilà qu'il ne pouvait plus écrire ! Il fallait faire quelque chose.

M. Beloiseau a écarté les bras avec accablement avant de se moucher dans un coin de son écharpe.

– À moins que… il a dit, se frappant tout à coup le front, l'œil pétillant. Oui, pourquoi pas, après tout… Et si vous m'aidiez ? Si on l'écrivait ensemble, l'histoire d'*Évariste et les ouistitis* ?

– Super ! on s'est tous écriés. Mais comment faire ?

– Rien de plus simple : je reviendrai une fois par semaine pour travailler avec vous. Si votre maîtresse le veut bien, naturellement…

Il s'est tourné vers elle, cherchant son approbation.

– Bien sûr, elle a dit. Ce serait une idée magnifique !

– Un rat musqué pourrait ronger la corde d'Évariste ! a crié Lucas.

– Non ! Des Pygmées vont scier la branche ! a lancé Jérôme.

– Il deviendra le roi du pays Ouistiti ! a proposé Riton.

En une seconde, ça a été une joyeuse pagaille. Tout le monde voulait donner son idée, et il a fallu que la maîtresse ramène le calme.

– Attendez mardi prochain, a dit M. Beloiseau. Gardez vos idées dans de petites boîtes de conserve, on les ouvrira ce jour-là.

C'était presque l'heure de la récréation déjà. Je ne pensais même plus à la partie de foot que je n'allais pas pouvoir disputer à cause de mes chaussures.

Avant qu'il s'en aille, on a tous voulu
que M. Beloiseau dédicace nos livres.

Il s'est mis au bureau de la maîtresse,
a sorti son énorme stylo-plume. C'était
difficile à lire, parce qu'il écrivait tout
petit, des pattes de mouche toutes ser-
rées.

Sur mon livre, il a écrit:

*Pour Rémi,*

*En attendant que tu deviennes écrivain à ton tour.*

*Amicalement.*

*Évariste Beloiseau.*

Quand mes parents verraient ça, ils seraient bien étonnés. Moi, un écrivain un jour ? Et pourquoi pas, après tout…

Puis M. Beloiseau s'est entortillé dans son cache-nez et il est sorti avec le directeur.

– Tu crois qu'il disait vrai pour les lentilles ? a demandé Lucas.

– Les écrivains ne mentent jamais, a dit Maxime. Ils inventent quelquefois, c'est tout.

Par la fenêtre, j'ai vu M. Beloiseau qui traversait la cour. D'en haut, il paraissait encore plus petit.

Arrivé dans la rue, il a mis des élastiques à son pantalon et a enfourché le plus vieux scooter que j'aie vu de ma vie.

Il y a eu un gros « pout ! » et sa bécane a démarré en pétaradant, avec M. Beloiseau cramponné au guidon.

Je me suis bien gardé de le dire aux autres, ils ne m'auraient pas cru. Mais au moment où il tournait au coin de la rue, je jurerais avoir vu le scooter qui s'envolait comme le vieux vaisseau de Frankfurt…

Est-ce que j'avais rêvé ? Je ne sais pas.

Il faudra que je demande à M. Beloiseau mardi prochain, quand il reviendra.

# L'auteur

**Jean-Philippe Arrou-Vignod** est né à Bordeaux. Il vit successivement à Cherbourg, Toulon et Antibes, avant de se fixer en région parisienne. Après des études à l'École normale supérieure et une agrégation de lettres, il enseigne le français au collège. Passionné de lecture depuis son plus jeune âge, il s'essaie très tôt à l'écriture et publie son premier roman à l'âge de vingt-six ans. Il est depuis l'auteur de nombreux ouvrages pour la jeunesse, dont les séries *Histoires des Jean-Quelque-Chose* et *Enquête au collège*.

# L'illustrateur

**Pronto** est un modèle unique d'illustrateur high-tech fabriqué avec des éléments récupérés sur une télévision Téléavia de 1969. Le processeur lui permettant de comprendre rapidement tout ce qu'on lui demande a été prélevé sur une console Atari 7800. Quand de temps en temps il «bugue», c'est parce que sa carte-mère chauffe un peu. C'est normal, elle provient d'un ordinateur Amstrad CPC 464 hors garantie depuis 1993. Afin de respecter les délais, sa batterie est le même modèle que celui monté sur la Ford Mustang de *Bullitt\**. C'est grâce à toute cette technologie embarquée qu'il pilote avec précision les dix vérins qui lui servent de doigts. Il crée ainsi les millions de pixels d'illustrations en couleur pour l'édition, la presse ou la publicité.

∗ Film policier américain de 1968 avec Steve McQueen comme acteur principal.

FOLIO CADET

# Découvre d'autres histoires pleines d'humour

———

## Mystère
*de Marie-Aude Murail illustré par Serge Bloch*

Une quatrième fille ! Le roi et la reine ne sont pas contents. Et comble de malheur, quand ses cheveux poussent, ils sont bleus ! Mystère, c'est son nom, vit comme une sauvageonne, mais à l'âge de 8 ans, elle est si belle qu'elle fait de l'ombre à ses sœurs. Ses parents décident de la perdre dans la forêt… Que lui arrive-t-il ensuite ? Mystère…

———

## Du commerce de la souris
*d'Alain Serres illustré par Claude Lapointe*

La fromagerie tenue par Victor Lebrouteux depuis un demi-siècle compte désormais plus de souris que de clients. Qu'à cela ne tienne, son propriétaire changera de commerce. Il vendra de la souris : en marque-page, en poil à gratter, en crème, en apéritif… Mais les souris n'ont pas l'intention de se laisser faire !

———

## La magie de Lila
*de Philip Pullman illustré par Peter Bailey*

Dans un royaume lointain de l'Orient, Lila rêve de fabriquer des feux d'artifice, comme son père. Celui-ci ne l'entend pas de cette oreille car, pour devenir maître dans l'art de la pyrotechnie, il faut subir de périlleuses épreuves : gravir le volcan Merapi, affronter le démon du feu et rapporter le soufre royal. Passionnée et courageuse, Lila relève le défi, aidée de ses deux amis, Chulak et son éléphant blanc.

———

## Cucu la praline
*de Fanny Joly illustré par Ronan Badel*

Moi, Angèle Chambar, j'adore : m'habiller en rose, les bonbons, les glaces et Machouillou, mon lion-doudou qui me suit partout. Mais je déteste qu'on m'appelle Cucu la praline. C'est mes frères qui m'ont donné cet affreux surnom, sauf que j'ai du caractère. Pas question de me laisser faire ! Ouvre ce carnet secret, tu verras bien que je ne te raconte pas de bobards.

———

## Motordu pelote d'avion
*de Pef*

Le prince de Motordu prend un cours de pilotage pour voler comme les oiseaux. Elsa Louette, son instructrice, se place derrière son apprenti pelote pour le guider. Et le prince tout ému aperçoit bientôt son chapeau qui a rétréci, puis des lacs qui sont grands comme des flaques. Après quelques loopings, le ciel devient tout noir. Le prince est-il prêt à effectuer un bol de nuit ?

———

## La patte du chat
*de Marcel Aymé illustré par Roland et Claudine Sabatier*

Delphine et Marinette cassent un vieux plat en faïence. La punition tombe : elles iront dès le lendemain chez la méchante tante Mélina s'il ne pleut pas. Pour aider ses petites maîtresses, le chat Alphonse passe la patte derrière l'oreille. Il attire ainsi la pluie… et la colère des parents qui lui réservent un bien triste sort. Comment sauver Alphonse ? Les fillettes et les animaux de la ferme vont tenir conseil.

———

## Clément aplati
*de Jeff Brown illustré par Tony Ross*

Un beau matin, Clément se retrouve tout aplati par un tableau qui lui est tombé dessus pendant la nuit. Il n'a plus maintenant qu'un centimètre d'épaisseur ! Imagine les avantages : se glisser sous les portes, voler dans les airs tel un cerf-volant… Et quelle économie pour voyager : il suffit de poster Clément dans une enveloppe ! Il y a aussi hélas quelques inconvénients…

———

## Les poules
*de John Yeoman illustré par Quentin Blake*

Les poules Flossie et Bessie mènent une existence paisible et monotone à la ferme du Bois-Joli, un hangar destiné à la ponte industrielle, jusqu'au jour où un choucas ouvre la porte de leur cage. Les deux sœurs acceptent de le suivre pour aller déjeuner dehors. Mais n'ayant jamais appris à voler, elles ne sont pas à l'abri du danger et, avec la vraie vie, l'aventure commence…

———

### Mlle Charlotte, la nouvelle maîtresse
*de Dominique Demers illustré par Tony Ross*

Mlle Charlotte, la nouvelle maîtresse, est arrivée ce matin. Elle porte un chapeau, une robe un peu froissée, mais le plus drôle, c'est qu'elle parle à un caillou. En mathématiques, elle nous a appris à mesurer les murs de la classe avec des spaghettis… cuits ! Et l'après-midi, elle joue avec nous au football. On l'adore !

———

### L'enlèvement de la bibliothécaire
*de Margaret Mahy illustré par Quentin Blake*

En voilà une histoire ! La ravissante bibliothécaire a disparu et toute la ville est en émoi. Enlevée, elle est retenue comme otage par cinq brigands plus bêtes que méchants mais qui espèrent obtenir de la municipalité une rançon rondelette. C'est compter sans le courage de mademoiselle Labourdette, sa générosité et ses talents de bibliothécaire !

———

### Un amour de tortue
*de Roald Dahl illustré par Quentin Blake*

M. Hoppy a un secret : il est amoureux de Mme Silver, sa voisine du dessous. Mais celle-ci n'a d'yeux que pour Alfred, sa tortue ! Heureusement M. Hoppy invente un stratagème ingénieux pour conquérir sa belle… du haut de son balcon.

———

Maquette : Karine Benoit

ISBN : 978-2-07-512378-5
N° d'édition : 346489
Loi n° 49-956 du 16 juillet 1949
sur les publications destinées à la jeunesse
Dépôt légal : mai 2019
Imprimé en Espagne par Novoprint (Barcelone)